Waar is Dodi?

Anneke Scholtens
Tekeningen van Greet Bosschaert

Zwijsen

Moddels

Iedereen spaart Moddels.
Ook bij Noor op school.
Een Moddel is een kleine pop.
Zo lang als de duim van een juf.
Je ziet ze in alle winkels.
Ze zitten op de pindakaas.
En op de jam.
En op de zeep.
Een Moddel heeft lang haar.
Soms is het roze.
Soms is het geel of blauw.
Een Moddel heeft twee grote ogen.
Met lange wimpers eraan.
En een neus als een erwt.
Daarnaast zitten rode wangen.
En eronder een rode mond.
De mond lijkt op een half maantje.
Een Moddel lacht altijd.
Noor heeft er acht!
Kee heeft er al tien.
Nee, elf!
Vandaag heeft ze een nieuwe.
Op het plein laat ze hem zien aan Noor.
'Die kreeg ik van mijn tante!' zegt ze.
'Hoe vind je haar?
Ik noem haar Pleun.'
Noor voelt aan Pleuns haar.

Het is paars en heel zacht.
En het ruikt zo lekker!
'Ze is mooi,' zegt Noor.
'Ze lijkt wel een prinses!'
Noor kijkt in haar tasje.
Haar Moddels slapen nog.
Alleen Dodi heeft één oog open.
Maar dat is altijd zo.
Dat oog kan niet meer dicht.
'De Moddels gaan samen spelen,' zegt Kee.
'Daar, naast de zandbak.'
Ze kijkt in de tas van Noor.
'Die ene vieze moet weg,' zegt ze.
'Die is zo oud.
En zo lelijk.'

Noor slikt.
Die ene vieze, dat is Dodi.
Noor kreeg haar het eerst.
Toen was Noor nog maar vier.
Dodi ging mee naar school.
Dodi was er altijd.
Toen Noor bij oma was.
Toen Noor niet kon slapen.
Toen Noor haar eerste boek las.
Noor is dol op Dodi.
Ook al is haar gezicht kapot.
En zijn haar lippen niet meer rood.
Ook al zijn haar wangen weg.
En is haar roze haar kort.
Noor heeft het geknipt.
Ze dacht: het groeit wel weer.
Want Noor was nog maar vier.
Maar het haar van Dodi bleef kort.
Noor klemt Dodi tegen zich aan.
'Zij moet ook meedoen,' zegt Noor.
'Zij hoort erbij.'
Maar Kee kijkt zo vies.
Ze trekt haar lip op.
'Dodi stinkt,' zegt ze.

Slapen op een warme steen

Noor kijkt om zich heen.
Naast de zandbak is een steen.
Een platte steen in de zon.
Daar kan Dodi wel even slapen.
Dan pakt ze haar andere Moddels.
En Kee pakt die van haar.
Wat is die nieuwe mooi!
Haar paarse haar glimt in de zon.
De Moddels spelen met elkaar.
Ze lopen hand in hand.
Ze drinken samen een kopje thee.
Maar dan klapt juf in haar handen.
'Komen!' roept ze.
'Het is tijd!'
Vlug ruimen Noor en Kee alles op.
Overal ligt wat.
De Moddels hebben zo veel spullen!
Kammen en borstels.
Stoelen en tafels.
En dan nog al die kopjes.
De juf roept alweer.
Haar stem klinkt wat strenger.
'En nu snel naar binnen!'
Noor en Kee rennen naar haar toe.

Even later zitten ze in de klas.
Noors hart bonst van het rennen.
Eerst zingen ze een lied.
Dan doen ze een spel met woorden.
'Wat rijmt er op boom?' vraagt juf.
Dat weet Noor wel.
Ze steekt haar vinger op.
'Room!' zegt ze.
'En wat rijmt er op slapen?'
Weer gaat Noors vinger de lucht in.
'Gapen,' wil ze zeggen.
Maar dan laat ze haar hand zakken.
Slapen?
Slapen op een warme steen?
Met één oog open?
Waar is Dodi?
Ze heeft Dodi toch wel …
Vlug duikt Noor onder haar stoel.
Ze trekt aan haar tas.
Ze maakt hem open.
Daar zijn haar Moddels.
Haar vijf slapende Moddels.
Geen oogje dat haar aankijkt.
Dodi is er niet!
'Juf!' roept Noor.
'Juf, juf!'
'Jij mag straks weer Noor,' zegt juf.
Ze geeft Kee de beurt.
Maar Noor schreeuwt er dwars doorheen.

'Juf, Dodi is weg!
Ze ligt nog buiten!'
'Dodi?'
Juf snapt er niks van.
'Ik moet haar halen,' zegt Noor.
Ze staat al naast haar stoel.
'Nog één minuut,' zegt juf.
'Dan gaat de school uit.'

Dodi is weg!

De bel gaat.
Juf geeft iedereen een hand.
'Dag Noor.'
'Dag juf.'
Noor rent naar buiten.
Haar tas met Moddels zwaait heen en weer.
Mama staat bij het hek.
Maar Noor moet eerst naar de zandbak.
Want daar op de platte steen ...
Hoe kan dat nou?
De platte steen is leeg.
Dodi is weg!
Noor kijkt achter de zandbak.
Ze zoekt op de banken.
Ze zoekt onder de banken.
Mama komt naar haar toe.
'Wat is er Noor?'
'Dodi is weg!' huilt Noor.
'Ik heb haar hier gelegd.
Maar nu is ze er niet meer.'
'We vragen het aan Jaap,' zegt mama.
Jaap weet alles van vergeten dingen.
Van jassen en tassen die bleven hangen.
Van trommels en bekers in een hoek.
'Waar lag die pop?' vraagt Jaap.
'Op een platte steen,' zegt Noor.
'Naast de zandbak.'

'Buiten op het plein?'
'Ja,' zegt Noor.
'Dat is pech,' zegt Jaap.
'Het plein werd juist vandaag geveegd.
Er waren mannen met een wagen.
Een wagen vol met bezems.
Ze hebben alles schoongemaakt.'
'Maar Dodi dan?' vraagt Noor.
Jaap schudt zijn hoofd.
Van vergeten Moddels weet hij niks.
'Waar zijn die mannen nu?' vraagt Noor.
'Wat hebben ze met Dodi gedaan?'
'Dat weet ik niet,' zegt mam.
'We gaan het aan ze vragen.'
Mam en Noor lopen de straat uit.
Ze wandelen langs de gracht.
Tot bij een hoog gebouw.
Met een plein ernaast.
Op dat plein staan wagens.
Wagens met bezems eraan.
'Hier is het!' zegt Noor.
Zou Dodi hier binnen zijn?
Noor en mama gaan in de lift.
Ze komen bij een raampje.
Daarachter zit een vrouw.
'We zoeken een popje,' zegt mama.
'Ze lag op het schoolplein.
En toen is er schoongemaakt.'

'Een popje?' vraagt de vrouw.

'Een Moddel,' zegt Noor.

'Oh!' roept de vrouw.

'Die heeft mijn dochter ook.

Die heeft iedereen.

Daar hoef je niet naar te zoeken!

Ze zitten overal op.

Op de pindakaas.

En op de jam.

En op de zeep.'

'Ja, maar deze is anders,' zegt Noor.

De vrouw lacht.

'Hoe ziet ze eruit?' vraagt ze.

'Haar haar is kort,' begint Noor.

'Kort?'

'Ik heb het geknipt.

En ze heeft maar één oog open.

En geen wangen meer.

En ook geen rode lippen.'

'Dus ze is heel oud!' roept de vrouw.

'Neem toch een nieuwe!'

Noor schudt haar hoofd.

'Ik wil Dodi,' zegt ze.

De vrouw kijkt in een la.

Ze vindt een ketting.

En een armband.

Een sjaal en een handschoen.

Maar Dodi heeft ze niet.

'Het spijt me,' zegt ze.

Noor slikt.
Waar zou Dodi zijn?

Een tekening

Noor ligt op de bank.
Ze denkt aan Dodi.
Gooiden de mannen haar weg?
In een vieze bak?
Of nam iemand haar mee naar huis?
Zit ze nu in een andere tas?
Of in de zak van een jas?
Alleen in het donker?
Of slaapt ze in een ander bed?
Met haar ene oog open?
Had Noor maar een foto.
Dan hing ze die in de school.
Of bij de grote winkel.
Dat doen mensen wel vaker.
Als hun poes weg is.
Of hun hond.
Opeens krijgt Noor een goed idee.
Ze pakt haar stiften.
Ze tekent Dodi's korte haar.
Dodi's gezicht kent zij heel goed.
Ze ziet het voor zich.
Haar ene open oog.
En de bleke lippen.
Dan schrijft Noor erbij:
Help!
Dodi is weg!
Bel: 2323454

Noor laat het aan mama zien.
'Mag ik naar de grote winkel?' vraagt Noor.
Mama knikt.
Ze loopt met Noor mee.
Voor in de winkel is een bord.
Daar hangen heel veel briefjes.
En ook wat foto's.
Maar nog geen tekening.
Noor prikt Dodi in het midden.
'Wacht jij maar even hier,' zegt mama.
'Ik haal vlug wat soep.
Ik ben zo terug.'
Ze gaat door het draaihek.
Noor wacht bij het bord.
Er komt een oude vrouw.
Ze leest de briefjes.
Ze kijkt naar Noors tekening.
'Dodi?' vraagt ze.
'Ja,' zegt Noor.
'Dodi is een Moddel.
'Ik ben haar kwijt.'
De vrouw knikt.
Ze kijkt blij.
'Die heb ik voor je,' zegt ze.
'Echt?' vraagt Noor.
'Ja, loop maar mee.
Ik heb hem thuis.
Ik woon vlakbij.'
'Maar mama is nog daar,' wijst Noor.

De oude vrouw hoort het niet.
Ze is al bijna bij de uitgang.
Wat moet Noor doen?
Die vrouw heeft Dodi!
En ze woont vlakbij …
Vlug holt Noor achter haar aan.
De vrouw woont één straat verder.
In een heel grappig huis.
Het staat vol met poppen.
'Spaart u die?' vraagt Noor.
'Ja,' zegt de vrouw.
'Dit is Mie.
En dat is Jans.'
Ze wijst al haar poppen aan.
En ze noemt de namen.
'Maar waar is Dodi?' vraagt Noor.
Nu graait de vrouw in een zak.
Er komt een Moddel uit.
Een heel mooie Moddel.
Net zo mooi als Pleun.
Ze heeft gele haren.
'Voor jou!' zegt de vrouw.
'Maar …'
Dat is Dodi niet! wil Noor zeggen.
Maar de vrouw kijkt zo blij.
'Een Moddel,' zegt ze.
'Dankuwel,' zegt Noor.
Vlug holt Noor terug naar de winkel.
Mama is boos.

'Waar was je nou?' vraagt ze.
'Ik kreeg dit,' zegt Noor.
'Van een oude vrouw.'
Ze laat haar nieuwe Moddel zien.
'Een nieuwe?' vraagt mama.
'Wat lief van haar.'
'Ja,' zegt Noor.
Maar echt blij is ze niet.
Wat heeft ze hier nou aan?
Ze wil een oude Moddel.
Zonder wangen, zonder lippen.
Haar ene oogje open.
Ze wil Dodi.

Ik heb Dodi!

Noor zit naast de telefoon.
Wanneer belt er nou iemand?
Maar het blijft heel stil.
Noor pakt een boek.
En daarna een puzzel.
En dan een pop.
Geen Moddel hoor.
De Moddels slapen in hun tas.
Ze wachten op Dodi.
En dan opeens … tring!
Dan gaat de telefoon.
Noor neemt hem op.
'Met Noor,' zegt ze.
'Ben jij Dodi kwijt,' vraagt een stem.
'Ja!' zegt Noor.
'Ik denk dat ik hem heb.'
'Echt?' vraagt Noor.
'Hij lijkt er precies op.
Ik kreeg hem net te pakken.'
'Waar?' vraagt Noor.
'Bij mij in de tuin.
Hij zat vis te eten.'
'Vis?' vraagt Noor.
'Dodi is toch een poes?
Een rode kater?
Met een wit befje?'
Heeft die man geen bril?

'Dodi is een Moddel!' zegt Noor.
'Een mormel?' vraagt de man.
'Nee,' zegt Noor.
'Een Moddel!'
'Een hobbel?'
Pfff, de man is ook nog doof!
'Dodi is een pop,' zegt Noor.
'Met kort haar.
En één oog open.'
'Die heb ik niet,' zegt de man.

Noor pakt een ander boek.
En een andere puzzel.
En haar zak met knikkers.
En dan ... gaat de telefoon weer.
'Met Noor.'
'Met mevrouw Haan.
Ik heb je hond!
Hij zit hier op de stoep.
En hij jankt.'
Noor slikt.
'Dodi is geen hond,' zegt ze.
'Geen hond?' vraagt de vrouw.
'Nee,' zegt Noor.
'Dodi is een Moddel.'
'Die spaar ik ook!' roept de vrouw.
Ik heb er al twintig!
Ik heb wel een paar dubbele.
Wil je er één?'

'Nee,' zegt Noor.
'Ik wil Dodi.'

Er bellen nog zes mensen.
Allemaal zeggen ze: 'ik heb Dodi.'
Maar ze hebben een poes of een hond.
Of een hamster of een konijn.
Niemand weet waar Dodi is.

De wagen met de bezems

De volgende dag zit Noor op school.
Ze heeft nergens zin in.
Ze wil niet lezen.
En ook niet tekenen.
Ze wil zelfs de vissen niet voeren.
En zeker niet met Moddels spelen.
Haar tas staat thuis.

Kee speelt met Mariam.
En met Lara en Soraya.
Ze laten nieuwe Moddels zien.
Ze ruilen Moddels.
Want er komen er steeds meer.
Er zitten Moddels op de hagelslag.
En op de boter.
En op de melk.
Ze zijn er in alle kleuren.
En in alle maten.
'Doe je mee?' vraagt Kee.
'Nee,' zegt Noor.
'Ik vind Moddels stom.'
'Waarom?' vraagt Kee.
'Er zijn er zoveel,' zegt Noor.
'Nou is er niks meer aan.'
Maar ze bedoelt iets anders.
Er is er één te weinig.
En dat voelt zo naar.

Daar heb je de wagen weer!
De wagen vol bezems.
Langzaam rijdt hij voorbij.
De mannen gaan een ander plein vegen.
Noor draait haar hoofd weg.
Stiekem steekt ze haar tong uit.
Hebben zij Dodi weggegooid?
Zagen ze niet hoe leuk ze was?
Opeens roept Kee: 'Noor, kijk!'
Ze wijst naar de wagen.
Achter het glas hangt iets.
Het zit aan een touwtje.
Het zwaait heen en weer.
Het zwaait naar Noor.
Dodi!
Noor holt op de wagen af.
Er zitten twee mannen in.
'Stop!' roept Noor.
De wagen staat al stil.
'Wat is er?' vraagt de ene man.
'Daar!' wijst Noor.
'Dat popje?
Dat lag hier op het plein.'
'Het is van mij!' zegt Noor.
De man krabt op zijn hoofd.
'Ik dacht: het is zo oud.
Een kind heeft het weggegooid.
Ik nam het mee naar huis.
Maar niemand wou het hebben.

Mijn dochter niet.
Mijn buurmeisje niet.
Toen hing ik haar maar hier.'
'Ik wil haar,' zegt Noor.
Ze kan haast niet wachten.
De man maakt het touwtje los.
'Hier is ze weer,' zegt hij.
'Hou je haar nu bij je?'
Noor knikt.
Ze drukt Dodi tegen zich aan.
'Jij mag altijd meedoen,' zegt ze.
'Jij hoeft nooit meer op een steen.'
En Kee knikt ook.
Want nu snapt ze het heel goed.
Noor is dol op Dodi.
Ook al is ze oud.
Ook al is haar haar kort.
En zijn haar wangen weg.
Dodi is nou eenmaal Dodi.

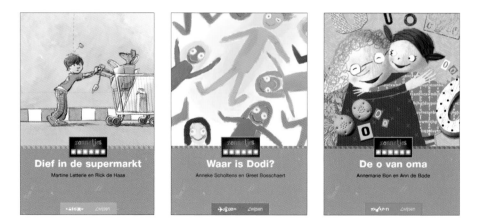

Zonnetjes bij kern 10 van Veilig leren lezen

1. Dief in de supermarkt
Martine Letterie en Rick de Haas

2. Waar is Dodi?
Anneke Scholtens en Greet Bosschaert

3. De o van oma
Annemarie Bon en Ann de Bode

ISBN 90.276.0873.3
NUR 287
1e druk 2006

© 2006 Tekst: Anneke Scholtens
© 2006 Illustraties: Greet Bosschaert
Vormgeving: Rob Galema
© Uitgeverij Zwijsen B.V., Tilburg

Voor België:
Zwijsen-Infoboek, Meerhout
D/2006/1919/218